La tête en vacances

Vincent Cuvellier • Anne Laval

ACTES SUD JUNIOR

Papa a encore un peu la tête en vacances. Maman aussi.

Ma sœur aussi. Et moi aussi.

Faut dire qu'on est rentrés hier soir, à la tombée de la nuit.

Au clair de lune.

C'était bien... mais qu'est-ce que c'était bien...

Il y avait des vagues... c'est bien les vagues, et dans les vagues,
il y avait des algues... c'est bien les algues... et des poissons,
des coquillages, du sable, et même des petites filles.
Des petites filles aux bouées roses qui riaient tout le temps.
La mienne, de petite fille, s'appelait Julie. C'est joli Julie,
c'est un prénom de petite fille.

On est rentrés au début de la nuit et on s'est tous endormis
un sourire sur la bouche.

Et le lendemain matin, quand le sommeil a rêvé, euh, je veux dire quand le réveil a sonné, on avait toujours notre sourire et toujours notre bouche. La mienne sentait l'eau de mer.

– Debout, ma crevette.

J'ai entendu crevette, je me suis levé.

J'ai suivi la poussière de sable jusqu'à la salle de bain et je me suis lavé,
mais pas trop, pour sentir encore la mer.

Ma sœur poussait des cris de mouette, ma mère étalait sur ses bras
une crème à la noix de coco, et mon père faisait la corne de brume,
comme ça, les mains en éventail.

On s'est tous fait des bisous et on s'est dit, comme tous les matins
depuis deux mois :
– Bon, on fait quoi aujourd'hui ?
Papa a bâillé et a répondu...
– Je sais pas, y a qu'à aller à l'école, tiens, c'est la rentrée... le ciel est dégagé.
Et on est sortis tous les deux, pendant que maman et ma sœur
continuaient à se mettre de la crème solaire partout.

– On passe par les canards ? a dit papa.

J'ai fait oui de la tête, parce que ça fait longtemps qu'on était pas passés par les canards. Il y en avait peut-être des nouveaux.

On a longé l'étang et, arrivés en face de l'école, on a franchi la petite barrière en fer rouillé. L'herbe était fraîche et douce.

On a entendu les rires des enfants et la cloche de l'école sonner.

Mais c'était trop tard. Et puis, c'était trop loin. Et puis l'eau était trop bonne, et puis c'était bête, on avait mis nos maillots.

Sur l'herbe, au bord des canards, une jolie femme était allongée, mouillée de la tête aux pieds.

– Papa, regarde, la maîtresse en maillot de bain !

Elle a souri, relevé ses lunettes de soleil, et a souri une deuxième fois.

– Coucou, Julot, tu es en retard.

– Vous aussi, madame.

Et je me suis allongé à côté d'elle. J'ai fermé les yeux.

Papa barbotait en chantonnant.

On sent mieux le vent quand on ferme les yeux.

On sent mieux tout quand on ferme les yeux.

– Mmmm, tu as fait tes devoirs, Julot ? a demandé la maîtresse.

– Oui, et j'ai sorti de je ne sais où une étoile de mer
et une poignée de sable.

– C'est bien, je te mets 20 sur 20, et elle s'est rendormie.

Moi aussi.

Trois gouttes sur le front m'ont réveillé.

– Salut, Jules, c'était bien tes vacances ?

C'est Ugo, mon copain. Il fait un château de sable. Un beau.

Lilas est là aussi. C'est joli, Lilas, presque aussi joli que Julie.

Il y a aussi Louise, Louis et Jean-Louis, les trois cousins, et Obélix,
le gros de la grande classe, et Jean-Pierre Michel, qui n'a que des prénoms,
et Colas, et Colline et son joli maillot, y a en fait toute la classe,
et même un peu plus...
Y a la grosse dame du bas qui a enlevé ses bas, y a la grosse dame du haut
qui a enlevé son haut...

... y a les dames de la cantine qui mangent une glace, y a même la directrice,
au milieu de l'étang, qui barbote dans une bouée en forme de canard...
Elle discute avec le facteur, qui n'a gardé que sa casquette...
Maman et ma sœur nous rejoignent avec des boissons fraîches
et des serviettes, le patron de maman court derrière elle avec un ballon,
le chauffeur de bus se fait griller une saucisse.
La ville entière a mis son maillot de bain. C'est bien.
C'est trop bien.

C'est les vacances. C'est la rentrée. C'est les vacances.
Je voudrais que ça s'arrête jamais.

Éditeur : François Martin, assisté de Marine Tasso
Directeur de création : Kamy Pakdel
Directeur artistique : Guillaume Berga

© Actes Sud, 2013 – ISBN 978-2-330-02214-3
Loi 49-956 du 16 juillet 1949 sur les publications destinées à la jeunesse.
Reproduit et achevé d'imprimer en juillet 2013 par Printer Portuguesa (Portugal)
pour le compte des éditions ACTES SUD, Le Méjan, Place Nina-Berberova, 13200 Arles
Dépôt légal 1re édition : août 2013